Tam-Tam & Piccolo
La nouvelle amie d'Opale

Holly Hobbie

Traduction française de Carole Tremblay

imagine

Édition originale :
Toot & Puddle. The New Friend
Little, Brown and Company, New York

© Holly Hobbie et Douglas Hobbie 2004
Tous droits réservés.

Traduction de l'anglais par Carole Tremblay
© Éditions Imagine 2004, pour la traduction française (Canada)

Les Éditions Imagine inc.
4446, boul. Saint-Laurent, 7ᵉ étage
Montréal (Québec) H2W 1Z5
ISBN : 2-89608-006-6
Dépôt légal : Bibliothèque nationale du Québec, 2004

Données de catalogage avant publication (Canada)
Hobbie, Holly
Tam-Tam et Piccolo : la nouvelle amie d'Opale
Traduction de : Toot & Puddle : the new friend.
Pour les jeunes.
ISBN 2-89608-006-6
I. Tremblay, Carole, 1959-   . II. Titre. III. Titre : Nouvelle amie d'Opale.

PZ23.H62To 2004 j813'.54   C2004-940366-4

Imprimé en Chine
10 9 8 7 6 5 4 3 2 1

Par un bel après-midi d'octobre, Opale décida d'aller rendre visite à ses amis, Tam-Tam et Piccolo, au petit bois de Coq-en-Pâte avec son amie Daphné.

– Elle est jolie, non ? dit Opale.

– Oh oui ! Elle est vraiment mignonne, dit Piccolo en souriant à la nouvelle venue.

Daphné savait faire d'extraordinaires galipettes.

Elle pouvait se tenir sur la tête sans bouger. Elle était même capable de faire des pirouettes arrière.

– Oh là là ! Tu es vraiment douée, lui dit Tam-Tam.

– Hélas, je ne serai jamais aussi bonne en gymnastique, soupira Opale.

    – Personne ne saute mieux à la corde que
Daphné, dit Opale.
    – Plus vite ! cria Daphné. Plus vite !

– À quoi est-ce qu'on joue, maintenant ? demanda Piccolo.

– Je sais, dit Tam-Tam. On joue à celui qui se tient le plus longtemps sur une seule jambe.

– Un, deux, trois, partez ! s'écria Daphné, tout excitée.

Tam-Tam commença bientôt à vaciller... et s'effondra.
Opale s'écroula sur le derrière.
Puis, Piccolo perdit l'équilibre, lui aussi.
La dernière à se tenir toujours debout,
sur une seule jambe,
fut Daphné.

– Maintenant, voyons voir qui peut retenir le plus
longtemps sa respiration, suggéra ensuite Piccolo.
   – Un, deux, trois, partez ! s'empressa de crier Daphné.

Piccolo fut le premier à abandonner. Opale s'arrêta peu après.
Ensuite, ce fut Tam-Tam qui se dégonfla. La meilleure pour
retenir sa respiration fut encore la petite Daphné.
   – Je ne sais pas comment tu fais, dit Piccolo.
   – C'est facile, répondit Daphné. Je le fais, c'est tout.

Ce soir-là, pour s'amuser, ils organisèrent un spectacle. Opale fit des imitations de chants d'oiseaux. Elle imita le hibou, le corbeau et aussi le canard. « Hou ! Hou ! Croâ ! Croâ ! Coin ! Coin ! Coin ! »

Tam-Tam et Piccolo applaudirent avec enthousiasme.

– Est-ce que tu peux imiter le rossignol ? demanda Daphné. C'est mon oiseau favori.

Mais Opale ne connaissait malheureusement pas le chant du rossignol.

Quand ce fut au tour de Daphné de faire un numéro pour le spectacle, elle interpréta une sonate de Mozart au violon.

– C'était magnifique ! dit Opale.
– Admirable ! ajouta Piccolo.
– Splendide ! renchérit Tam-Tam. Tu as vraiment un don pour la musique.
Daphné, flattée, fit la révérence.

– Parfois, j'aimerais être aussi bonne que Daphné, dit Opale.

– Tout le monde est différent et tout le monde est bon à différentes choses, lui dit Piccolo. Tu es toi. Et Daphné est Daphné.

– Oui, mais elle est bonne dans tout, elle, dit Opale.

Le lendemain matin, Opale et Daphné firent leurs autoportraits. Elles demandèrent à Tam-Tam et Piccolo de jouer aux critiques d'art.

– Laquelle de nous deux a fait le plus beau dessin?

– C'est difficile à dire, répondit Piccolo. Ils sont tout à fait différents.

– C'est vrai, acquiesça Tam-Tam. Le dessin d'Opale est plus réaliste, alors que celui de Daphné l'est moins.

– Je sais, dit Daphné. Moi, je préfère les dessins moins réalistes.

Après le dîner, ils jouèrent ensemble à « Pige dans le lac », le jeu de cartes favori d'Opale. Elle gagna trois fois d'affilée.

– Hourra ! s'écria-t-elle joyeusement. C'est mon jour de chance.

– Ce jeu m'ennuie, dit Daphné. Je ne joue plus.

Pour souper, Piccolo prépara ses fameuses pâtes à la sauce au cerfeuil.
Mais Daphné fit la moue :

– Je n'aime pas la sauce au cerfeuil.

– Celle de Piccolo est la meilleure du monde, dit Opale.

– Prends-en une bouchée. Juste pour y goûter, suggéra Tam-Tam.

– Non, je veux manger mes nouilles blanches, répondit Daphné.

– Je pense que ta nouvelle amie est un peu « prima donna »,
dit Tam-Tam.

– Qu'est-ce que ça veut dire, « prima donna » ? demanda Opale.

– C'est quelqu'un qui s'imagine qu'elle est vraiment spéciale,
expliqua Piccolo. Comme si elle était la plus belle étoile filante
du ciel.

– Mais moi, je pense que Daphné est vraiment spéciale,
répliqua Opale.

Le matin suivant, Daphné ne voulut même pas goûter au délicieux gruau de Tam-Tam.

— Je ne mange jamais de gruau, dit-elle d'un air dédaigneux. D'habitude, je mange des crêpes avec du sirop d'érable.

Plus tard, Daphné refusa de ramasser les feuilles.

— Allez, Daphné, lui cria Piccolo. Tu vas voir, c'est vraiment amusant de les mettre en tas avec le râteau.

— Je ne peux pas utiliser le râteau, dit Daphné. Je pourrais me faire une ampoule.

– Peut-être que c'est vrai que tu es une « prima donna »,
dit Opale.

En disant cela, son joli visage rose devint plus rose encore.

– Qu'est-ce que c'est que ça, une « prima donna » ? demanda
Daphné. Je n'ai jamais entendu parler de ça.

– C'est une personne qui s'imagine être tellement spéciale
qu'elle refuse d'aider ses amis à ramasser les feuilles.

– Une personne a le droit de ne pas vouloir se faire d'ampoule,
dit Daphné, parce que ça fait horriblement mal, une ampoule,
surtout quand cette personne doit jouer du violon.

Tout le monde était en train de s'amuser en cette belle fin de journée quand un hurlement effrayant traversa la maison d'un bout à l'autre.

– Où est Daphné? s'inquiéta Piccolo.

– Elle est partie prendre un bain moussant, lui répondit Opale. Tam-Tam fut le premier à bondir de sa chaise.

– Regardez ! pleurnicha Daphné, toute frissonnante. Regardez l'horrible bestiole.

– Ça alors ! s'écria Piccolo. Elle est vraiment énorme.

– Il n'y a pas de quoi s'affoler, déclara Tam-Tam.

– J'ai peur, dit Daphné d'une petite voix tremblante. J'ai vraiment peur.

Elle était au bord des larmes. Opale, elle, semblait enchantée.

– Voyons, Daphné, je suis sûre que c'est une très gentille araignée. Oh ! Quelle belle et grosse araignée tu es, continua-t-elle, tout excitée.

Opale réussit à convaincre l'« horrible bestiole » d'entrer dans un pot de confiture vide, puis elle l'emporta dehors et la déposa sur le tas de bois.

– J'espère que vous apprécierez votre nouvelle demeure, Madame Araignée. Au revoir !

– Tu as été tellement courageuse, dit Daphné. J'aimerais être aussi brave que toi.

– Je suis sûre que tu en serais capable, répondit Opale.

– Non, je ne pourrais pas, dit Daphné. Les araignées me donnent la chair de poule.

– Tu n'aimes pas les toiles d'araignée ? lui demanda Opale. Tu sais, s'il n'y avait pas d'araignées, il n'y aurait pas de toiles d'araignées non plus.

Daphné dut admettre qu'elle n'avait jamais vu une seule vraie toile d'araignée de sa vie.

– Pour en apercevoir une, il faut que tu sois bien attentive, dit Opale. Et que tu regardes bien partout. Tu vas sûrement en voir une, un jour.

Là-dessus, elle éteignit la lumière de la chambre.

– J'ai une idée, dit Daphné. On joue à celle qui s'endort la première. Un, deux, trois, partez !

En moins de temps qu'il ne faut pour le dire, Daphné dormait.
Son léger ronflement faisait penser au ronronnement d'un chaton.
Opale, elle, n'avait pas envie de dormir tout de suite. Elle voulait
rester éveillée encore un peu et regarder le ciel étoilé, comme elle
le faisait souvent quand elle venait au petit bois de Coq-en-Pâte. Il
y a toujours tellement de belles choses à voir.